S0-BIH-348

Sur scène !

L'auteur : Mary Pope Osborne a écrit plus de quarante livres pour la jeunesse, récompensés par de nombreux prix. Elle vit à New York avec son mari, Will, et Bailey, un petit terrier à poils longs. Tous trois aiment retrouver le calme de la nature, dans leur chalet en Pennsylvanie.

L'illustrateur : Philippe Masson, né à Rennes en 1965, est issu d'une famille de marins bretons. Actuellement, il vit à Tours avec son amie et ses deux enfants, Lucas et Mona. Depuis 1997, il réalise les dessins de « Marion Duval » d'Yvan Pommaux pour le magazine *Astrapi*.

À James Simmons.

Titre original : *Stage Fright on a Summer Night*
© Texte, 2002, Mary Pope Osborne.
Publié avec l'autorisation de Random House Children's Books,
un département de Random House, Inc., New York, New York, USA.
Tous droits réservés.
Reproduction même partielle interdite.
© 2005, Bayard Éditions Jeunesse pour la traduction française
et les illustrations.

Conception: Isabelle Southgate.
Réalisation : Sylvie Lunet
Colorisation de la couverture ; illustrations de l'arbre, de la cabane
et de l'échelle : Paul Siraudeau.
Suivi éditorial : Karine Sol.
Loi n° 49 956 du 16 juillet 1949
sur les publications destinées à la jeunesse.
Dépôt légal : juin 2005 – ISBN : 2 7470 1733 8
Imprimé en Allemagne par Clausen & Bosse

La Cabane Magique

Sur scène !

Mary Pope Osborne

Traduit et adapté de l'américain
par Marie-Hélène Delval

Illustré par Philippe Masson

BAYARD JEUNESSE

Léa

Prénom : Léa

Âge : sept ans

Domicile : près du bois de Belleville

Caractère : espiègle et curieuse

Signes particuliers ne manque jamais
une occasion d'entraîner son frère, Tom,
dans des aventures mouvementées,
sans se soucier du danger.

Tom

Prénom : Tom

Âge : neuf ans

Domicile : près du bois de Belleville

Caractère : studieux et sérieux

Signes particuliers : aime beaucoup
les livres, qui l'aident à se sortir
de situations périlleuses.

Les quinze premiers voyages de Tom et Léa

Tom et Léa ont découvert dans le bois de Belleville, perchée en haut d'un chêne, une cabane pleine de livres. C'est une

cabane magique !

Elle appartient à la fée Morgane, une magicienne et une célèbre bibliothécaire qui voyage à travers le temps et l'espace pour rassembler des livres.

Nos deux jeunes héros ont déjà vécu des **aventures extraordinaires** ! Il leur suffit d'ouvrir un livre, de poser le doigt sur une image en souhaitant se trouver à l'endroit représenté, et ils y sont aussitôt transportés !

Au cours de leurs quatre dernières aventures, Tom et Léa devaient recevoir quatre cadeaux pour délivrer le petit chien, Teddy, d'un mauvais sort.

Les enfants ont sauvé deux jeunes passagers du Titanic.

Ils ont assisté à une dangereuse chasse aux bisons.

Ils ont été attaqués par un tigre !

Souviens-toi...

Ils ont sauvé un bébé kangourou.

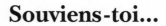

Nouvelle mission :

découvrir une magie

différente de celle des sorciers

et des magiciens

Sauront-ils éviter tous les dangers ?

 Lis vite les quatre nouveaux
« Cabane Magique » !

★ N° 20 ★
Sur scène !

★ N° 21 ★
Gare aux gorilles !

★ N° 22 ★
Drôles de rencontres en Amérique

★ N° 23 ★
Grosses vagues à Hawaï

Prêt à suivre Tom et Léa
dans leurs dangereuses aventures ?

Bon voyage !

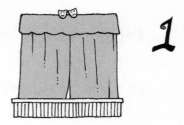

Une autre sorte de magie

Tom et Léa sont assis sous le porche. Des lucioles tournoient dans l'air du soir.

– Oh ! s'écrie Léa. Une étoile filante !

Tom lève les yeux de son livre juste à temps pour apercevoir une traînée de lumière qui traverse le ciel d'été. Elle plane un instant au-dessus du bois de Belleville et disparaît dans la cime des arbres. Tom murmure :

– Ce n'était pas une étoile...

Les enfants échangent un regard et sautent aussitôt sur leurs pieds. Tom attrape son sac à dos, posé dans l'entrée, et il lance :

– Papa, maman ! On va faire un tour, on revient tout de suite !

– Le dîner sera prêt dans un quart d'heure, n'allez pas trop loin ! recommande leur mère.

– D'accord !

Tom et Léa sortent du jardin en courant. Ils courent dans la rue, ils courent sur le sentier du bois, ils courent jusqu'au pied du plus haut chêne ; là, ils s'arrêtent et regardent vers le sommet de l'arbre.

– Oui ! souffle Léa.

Tom se contente de sourire, trop heureux pour parler.

– Tu avais raison, Tom, dit sa sœur. Ce n'était pas une étoile, c'était la cabane !

Elle attrape l'échelle de corde et se met à grimper, Tom sur ses talons.

Au fond de la cabane, un très belle femme aux longs cheveux d'argent est debout dans l'ombre.

– Bonjour, les enfants ! dit-elle.

– Morgane ! s'écrient d'une seule voix Tom et Léa.

Et ils se jettent dans ses bras.

– Vous êtes venue nous chercher ? demande Léa. Vous avez besoin d'aide ?

– Vous avez déjà tant fait pour moi, déclare la fée, que je veux à mon tour faire quelque chose pour vous. Vous allez découvrir la magie.

– On va devenir des magiciens ? s'exclame la petite fille. Vous allez nous apprendre des formules et des sortilèges ?

La fée se met à rire :

– Oh, il existe une autre sorte de magie ! Vous verrez : chacune de vos prochaines aventures sera magique.

– Comment cela ? s'étonne Tom.

– Des comptines secrètes vous guideront dans vos voyages. Voici la première !

Morgane tend un papier à Léa, qui lit à haute voix :

Pour connaître cette magie,
Vous entrerez dans la lumière.
Et, sans être ni sorcier ni sorcière,
Vous changerez le jour en nuit.

– Changer le jour en nuit ? répète Tom. Comment peut-on faire ça ?

Morgane sourit :

14

– C'est ce que vous devrez découvrir.

Tom a des tas de questions à poser. Mais voilà qu'un éclair illumine la cabane et l'oblige à fermer les yeux. Quand il les rouvre, la fée a disparu. À l'endroit où elle se tenait, il y a un livre.

Léa le ramasse et s'approche de la fenêtre pour mieux voir.

La couverture représente un fleuve encombré de bateaux et enjambé par un pont. Le titre du livre est : *La vieille Angleterre.*

– Donc, devine la petite fille, on part vivre des aventures magiques dans l'Angleterre d'autrefois. Ça va être amusant ! Tu es prêt ?

– Euh... oui.

Tom aurait bien voulu avoir d'abord un peu plus d'informations. Tant pis ! Il pose le doigt sur l'image et récite :

– Nous souhaitons être transportés ici !

Aussitôt, le vent se met à souffler, la cabane à tourner.

Elle tourne plus vite, de plus en plus vite. Elle tourbillonne comme une toupie folle. Le vent hurle.

Puis tout s'arrête, tout se tait.

2

Le pont de Londres

Un chaud soleil illumine l'intérieur de la cabane. Les enfants clignent des yeux, éblouis.

Léa est vêtue d'une longue robe ornée d'un tablier. Tom porte une chemise à manches bouffantes et un pantalon serré aux genoux. Son sac à dos s'est transformé en besace de cuir.

– Drôles d'habits ! dit-il.

Sa voix est couverte par le grondement qui monte de la rue. Les enfants courent à la fenêtre.

La cabane est posée au sommet d'un arbre,

au bord d'un large cours d'eau boueux. Des chariots, des carrioles et une foule de gens se dirigent vers le fleuve, où glissent des bateaux à voiles et des cygnes blancs.

– Ça a l'air drôlement animé, fait remarquer Léa.

Tom ouvre le livre et lit :

Au début du dix-septième siècle, Londres comptait environ cent mille habitants. La reine Elizabeth 1re, qui régnait alors sur l'Angleterre, était très aimée de son peuple.

Il prend son carnet pour noter :

Londres, 1600, Elizabeth 1re.

– Je n'avais jamais vu de pont comme celui-ci, dit Léa, penchée à la fenêtre.

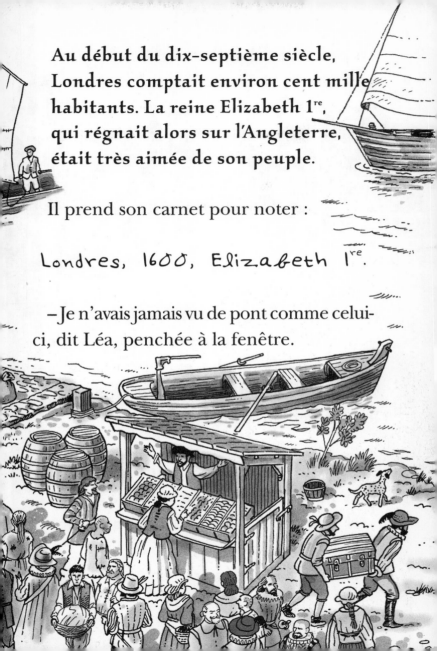

En effet, l'énorme pont de
pierre qui relie les deux rives du
fleuve ressemble à une petite ville, avec des
maisons, des boutiques, et même une église.

Tom trouve dans le livre une image
le représentant. Il lit :

Le pont de Londres, qui enjambait
la Tamise, était le cœur de la ville.
Il s'écroula à plusieurs reprises,
au cours de son histoire,
mais il fut toujours reconstruit.

– Ce n'est pas comme le pont d'Avignon ! blague Léa.

Et elle se met à chantonner : « Sur le pont d'Avignon, on y danse... »

– Arrête, Léa ! grogne Tom.

Il note sur son carnet :

Le pont de Londres traverse la Tamise.

– En route pour notre aventure magique ! décide Léa.

Elle relit le papier de Morgane.

Pour connaître cette magie,
Vous entrerez dans la lumière.
Et, sans être ni sorcier ni sorcière,
Vous changerez le jour en nuit.

Tom regarde le ciel parfaitement bleu. Il secoue la tête :

22

– Changer le jour en nuit ? C'est impossible !

Il range tout de même dans sa besace le livre et son carnet, et il suit sa sœur.

Arrivés en bas, ils se dirigent vers le fleuve.

– Pouark ! fait Léa en se pinçant le nez.

L'eau sent affreusement mauvais. Ça n'a pas l'air de déranger les gens. Une petite troupe de garçons en guenilles passe en courant.

– Plus vite ! crie l'un d'eux. On va être en retard !

Ils s'engouffrent sous le portail de pierre menant au pont.

– Qu'y a-t-il de l'autre côté ? s'interroge Léa. Pourquoi sont-ils si pressés ?

– Je ne sais pas, répond Tom. Regardons ce que dit le livre.

Il s'apprête à le ressortir du sac, mais sa sœur s'écrie :

– On verra plus tard ! Suivons ces garçons, sinon, c'est nous qui serons en retard !

– En retard pour quoi ? grommelle Tom.

Il glisse tout de même la lanière du sac à son épaule et s'élance à son tour vers le pont le Londres.

3

Le jardin aux ours

Tom et Léa franchissent le portail de pierre par lequel on pénètre sur le pont.

De l'autre côté, ils découvrent un spectacle fascinant.

Quelle animation ! Des charrettes roulent sur les pavés dans un bruit de tonnerre, des chevaux hennissent, des marchands hèlent la clientèle :

– Petits pâtés tout chauds !

– Soupe aux haricots !

– Épingles à cheveux ! Savon ! Ceintures de cuir !

Léa souffle à son frère :

– C'est super, on comprend l'anglais !

– C'est grâce à la magie de Morgane, comme d'habitude !

À ce moment, une grosse voix rugit :

– Attention, devant !

Les enfants se jettent sur le côté juste à temps pour éviter un attelage.

– Regarde ! s'écrie Léa en désignant une cage, à l'arrière de la charrette.

Derrière les barreaux, un ours brun énorme dodeline tristement de la tête.

– Et là-haut, tu as vu ?

De gros oiseaux noirs, perchés en rang au bord d'un toit, semblent surveiller les passants.

Tom hâte le pas pour éviter le regard perçant de ces sinistres volatiles. Les enfants jouent des coudes pour se frayer un chemin à travers la cohue.

À l'autre bout du pont, ils s'arrêtent un instant au bord du fleuve.

– Je me demande où sont passés ces garçons si pressés ! dit Léa.

Tom tourne la tête de tous côtés ; il ne les voit nulle part.

Il sort le livre de son sac, cherche une image du pont de Londres et lit :

Le pont de Londres reliait la ville à la rive sud de la Tamise, où les Londoniens se rendaient pour se distraire. L'un des lieux les plus populaires était le Jardin aux Ours.

– Le jardin aux Ours ? répète Léa. Ça doit être une sorte de zoo. C'est où ?

Tom examine le plan de la rive sud, puis il pointe le doigt vers un bâtiment rond et sombre, un peu plus loin :

– C'est là !

– Allons voir ! décide Léa.

Tom garde le livre sous son bras et suit sa sœur. En s'approchant du bâtiment, ils entendent des huées et des rires montant de l'intérieur.

Léa hésite soudain :

– J'ai une mauvaise impression. Que dit le livre sur cet endroit ?

Tom feuillette de nouveau l'ouvrage et il lit :

Dans l'arène du Jardin aux Ours, des ours et des chiens s'affrontaient. À l'époque, les combats d'animaux étaient très appréciés.

– Des ours qui se battent contre des chiens ? s'écrie Léa. Quelle horreur ! Je ne veux pas voir ça !

– Moi non plus ! Allons-nous-en !

Il commence déjà à s'éloigner, quand sa sœur le retient :

– Hé, Tom ! Voilà la charrette qu'on a vue passer tout à l'heure ! L'ours est encore dans la cage !

4

Le songe d'une nuit d'été

Les enfants courent vers la charrette. L'ours est assis, immobile, la tête basse. Au-dessus de sa cage, un écriteau indique : « Dan, l'ours qui danse ».

Léa appelle doucement :

– Dan ? Est-ce que tu vas te battre ?

L'énorme animal lève son museau et dévisage la petite fille de ses yeux ronds. Son regard est plein de tristesse ; il émet une plainte sourde.

– Oui, dit Léa, j'ai compris. Tu veux qu'on te fasse sortir de là !

31

Elle commence à secouer le loquet de la porte... Soudain, une grosse voix la fait sursauter :

– Hé, toi ! Laisse mon ours tranquille !

Tom et Léa se retournent. Un homme furieux fonce sur eux :

– Cette bête est à moi, et je vais la vendre !

– Viens, Léa ! souffle Tom en tirant sa sœur par la manche.

– Je veux libérer le pauvre Dan ! proteste la petite fille. Si son maître le vend, il sera obligé de se battre !

– Je sais. Mais on ne peut tout de même pas le voler ! Il appartient à cet homme.

Tom regarde autour de lui, cherchant quelque chose qui puisse distraire sa sœur. C'est alors qu'il reconnaît le groupe de garçons. Ils se dirigent vers une construction, ronde elle aussi, mais blanche.

– Léa, regarde ! Les garçons du pont ! Rattrapons-les !

– Et Dan... ?

– On s'occupera de lui plus tard. Viens !

Tom entraîne sa sœur. En s'approchant du bâtiment, il déchiffre un écriteau accroché au fronton : Nouveau spectacle du Théâtre du Globe ! *Le songe d'une nuit d'été.*

C'est exactement ce qu'il faut à Léa : elle adore jouer dans les spectacles de l'école !

Un homme posté à l'entrée du théâtre secoue une boîte en criant :

– Un penny[1] ! Un penny la place !

Les garçons déposent chacun une pièce de monnaie et entrent.

– Un penny seulement ! s'écrie Tom. Ce n'est pas cher !

1. La plus petite pièce de monnaie anglaise.

– On n'a pas d'argent, et, de toute façon, je veux d'abord délivrer Dan !

Tom soupire :

– Et qu'est-ce que tu en feras, une fois qu'il sera délivré ?

– Je m'arrangerai.

– C'est ça ! Tu t'arrangeras avec son maître ! Tâchons plutôt d'en apprendre un peu plus sur ce théâtre !

Il feuillette de nouveau le livre et finit par trouver une image représentant le Théâtre du Globe. Espérant encore faire oublier l'ours à sa sœur, il lit d'un ton enthousiaste :

C'est en Angleterre que furent bâtis les premiers théâtres. Comme l'éclairage électrique n'existait pas, les pièces étaient jouées à la lumière du jour. Les places n'étaient pas chères, presque tout le monde pouvait se payer une entrée.

– Génial, non ?

Cette fois, c'est Léa qui soupire.

Tom continue sa lecture d'une voix forte et... théâtrale :

Les places qui se trouvaient dans les galeries surplombant la scène, où l'on pouvait s'asseoir, étaient plus chères. Les gens les moins fortunés restaient debout, en bas.

– Hé, petit ! l'interpelle alors quelqu'un.

Tom lève le nez. Un homme à la barbiche soigneusement taillée s'approche de lui :

– Je t'ai entendu lire, c'était très bien !

Tom sourit timidement.

– C'était même excellent ! poursuit l'inconnu. Et j'ai justement besoin d'un bon lecteur de ton âge.

5

Tom a le trac !

– Pourquoi cherchez-vous un lecteur ? veut savoir Léa.

L'homme se tourne vers elle, l'œil pétillant :

– Parce qu'il me manque deux fées !

Il tapote du bout de l'index la poitrine de Tom :

– Et tu liras les deux rôles !

« Il est complètement fou ! » pense le garçon.

Puis il déclare d'un ton décontracté :

– Eh bien, c'est ça, monsieur ! Une autre fois, peut-être ?

Et il tente de s'éloigner.

– Non, attends ! proteste sa sœur.

Elle se plante devant le barbichu et l'interroge :

– De quelles fées parlez-vous ? Et où voulez-vous faire lire mon frère ?

– Deux de mes  jeunes acteurs, qui tiennent les rôles de fées, ne sont pas venus aujourd'hui. Mais ton frère lit avec tant de conviction ! Il va sauver la situation.

Tom dévisage l'inconnu d'un air ahuri. A-t-il bien entendu ?

Léa reprend :

– Vous voulez que Tom joue dans votre pièce, c'est ça ?

– Exactement ! Trois mille spectateurs attendent d'assister à la représentation de ma nouvelle pièce. Je ne peux pas les décevoir, n'est-ce pas ?

– Trois mille... ? répète Tom.

– Oui, trois mille ! Et il y a aujourd'hui dans la salle la plus haute personnalité du pays !

– Non ! Pas question ! refuse Tom. J'ai horreur de jouer, j'ai trop le trac !

Léa fronce les sourcils :

– Vous avez dit qu'il vous manquait deux fées ?

– Exact, dit l'homme.

– En ce cas...

Léa lève la tête et déclare d'une voix forte :

– Je sais lire, moi aussi !

– Mais oui ! s'écrie aussitôt Tom. Vous n'avez qu'à embaucher Léa ! C'est une bonne comédienne, elle fera les deux fées !

– Ah ! Seulement, cette demoiselle ne pourra pas monter sur scène.

– Et pourquoi pas ? s'insurge Léa.

L'homme arque les sourcils d'un air étonné :

– Parce que la loi l'interdit aux femmes, vous le savez bien ! Les rôles féminins sont tenus par des acteurs.

– Ce n'est pas juste ! s'indigne la petite fille.

– Je suis d'accord avec toi. Mais nous ne pouvons pas changer la loi.

L'homme se tourne vers Tom :

– Alors, jeune homme ? Veux-tu rejoindre ma troupe ?

– Non, merci !

Il tente de s'éloigner, mais sa sœur le rattrape par le bras.

– Une minute ! fait-elle. Je suis sûre que Tom acceptera de jouer dans votre pièce si j'y joue aussi.

– Qu'est-ce que tu racontes ? proteste Tom à voix basse.

– Oh, Tom ! Ce sera si amusant ! chuchote Léa. Pas besoin de savoir le texte par cœur, puisqu'on le lira ! Tu n'auras pas le trac.

Le garçon comprend qu'elle a vraiment très envie de participer à ce spectacle. Et c'est le meilleur moyen de l'empêcher d'aller délivrer l'ours. Il soupire :

– Bon, c'est d'accord. Si Léa est avec moi, j'accepte.

L'homme sourit :

– Parfait ! Mais elle devra se déguiser en garçon. Elle cachera ses cheveux sous un chapeau, et on l'appellera Léo.

La petite fille saute de joie :

– Youpi ! Merci !

Une sonnerie de trompettes éclate à l'intérieur du théâtre.

– La représentation commence ! s'écrie l'homme. Vite ! Venez avec moi !

Il prend les enfants par la main et les entraîne :

– Au fait, mon nom est William. Appelez-moi Will ! Allons-y, Tom et Léo ! Soyez aussi discrets que deux ombres !

6

En scène !

Will fait entrer Tom et Léa dans le théâtre par une porte de derrière, puis il les précède dans un étroit escalier.

Arrivé en haut des marches, Tom entend les rires du public. Ses jambes sont aussi molles que de la guimauve.

– Par là ! dit Will.

Tous trois traversent une salle à peine éclairée, où les comédiens se bousculent. L'un essaie une cape, un autre noue une ceinture à sa taille, un autre encore répète son rôle en marmonnant tout bas.

43

– Je vais vous trouver des costumes, annonce Will aux enfants.

Il se met à farfouiller dans une grande malle d'osier. En attendant, Tom et Léa observent l'endroit.

Partout pendent des robes, des capes pourpres ou bleues. Sur des étagères sont alignés des perruques argentées, des chapeaux, des masques.

– Super ! murmure Léa en caressant

un masque de lion. Ce sont de chouettes déguisements !

Tom est stupéfait de voir sa sœur aussi calme. A-t-elle oublié qu'elle va bientôt faire face à trois mille spectateurs ?

Lui, il en transpire à l'avance.

– Et voilà ! s'exclame Will.

Il leur tend des tuniques, des chapeaux et des chaussons verts :

– Habillez-vous vite ! Ça va être à vous.

Les enfants se glissent derrière un rideau pour enfiler leurs costumes ; Léa dissimule soigneusement ses couettes sous son chapeau.

Quand ils réapparaissent, Will leur remet à chacun un rouleau :

– Voici vos textes.

Tom déroule le sien. Il a deux longs morceaux à lire. Il proteste :

– Hé ! Je croyais que je n'aurais que quelques lignes !

– Tout ira bien, ne t'inquiète pas ! le rassure Will. Articule clairement, mets le ton, et surtout sois naturel !

« Naturel ! Il en a de bonnes ! pense Tom. Comment être naturel quand on est au bord de l'évanouissement ? »

À cet instant, un petit homme rondouillard surgit dans la salle. Il a des joues rouges comme des pommes et il est vêtu de vert, lui aussi.

– Pour l'amour du ciel, Will ! s'exclame-t-il. Qu'est-ce qu'on va faire ?

– Pas de souci, répond Will en poussant les enfants devant lui. Regarde qui je t'amène ! Ils vont lire les rôles de fées.

Puis il déclare :

– Tom et Léo, je vous présente Robin, également appelé Puck, le « joyeux vagabond de la nuit ». Il va vous conduire sur la scène. Bonne chance !

Léa sourit, Tom grommelle.

– Vite, les garçons ! s'écrie Puck. Suivez-moi !

Puck les emmène par un corridor jusqu'à un espace obscur où des acteurs se tiennent en silence, attendant d'entrer en scène. L'un d'eux est habillé d'une merveilleuse robe blanche. D'autres portent des tuniques brunes.

À travers une ouverture, Tom aperçoit le plafond du décor, bleu nuit, avec une lune et des étoiles peintes. Une foule énorme se presse jusque devant la scène, d'autres spectateurs regardent depuis les galeries.

« Tous les habitants du royaume d'Angleterre sont réunis là ! » pense Tom, horrifié.

– Tu vas entrer en scène le premier, lui chuchote Puck. Quand je dirai : « Maintenant, esprit, où allez-vous ? », tu commenceras à lire. Compris ?

Tom hoche la tête. Il a la bouche sèche, les mains moites et les jambes en coton.

48

Puck se tourne vers Léa.

– Toi, Léo, tu entreras en scène avec la reine des fées, dit-il à voix basse en désignant l'acteur à la robe blanche. Quand elle t'ordonnera de chanter pour l'endormir, tu commenceras la chanson.

– Sur quel air ?

– Celui que tu voudras. Et, si on te crie des injures, ne t'arrête pas. Tu...

– Si qui crie des injures ? intervient Tom, inquiet.

– Le parterre est parfois un peu houleux, explique Puck.

– Le parterre ?

– Les spectateurs debout devant la scène sont souvent chahuteurs. S'ils vous lancent des fruits pourris, continuez comme si de rien n'était.

« Ben voyons ! » pense Tom.

Jamais il ne pourra monter en scène ! Pas devant trois mille spectateurs qui chahutent et lancent des fruits pourris ! Il va ficher le camp, voilà !

Profitant de ce que Puck et Léa regardent le spectacle, il recule furtivement vers la sortie et... il heurte Will.

– Où vas-tu ? chuchote celui-ci.

– Je m'en vais. Je suis malade.

Will pose les mains sur les épaules du garçon et lui dit calmement :

– Ferme les yeux un instant, petit !

Tom obéit. Il entend les battements de son cœur résonner jusque dans sa tête.

– Maintenant, poursuit Will, imagine

que tu es une fée. Tu es dans la forêt, par une belle nuit d'été. Vois-tu la lune d'argent, dans le ciel ? Entends-tu hululer les hiboux ?

La voix envoûtante de Will agit comme un charme sur Tom.

Son trac s'apaise ; il imagine la lune d'argent ; il entend le hululement des hiboux.

— Es-tu dans la forêt, Tom ? murmure Will.

Le garçon hoche la tête.

— Si tu y crois, le public y croira aussi.

— C'est à nous ! souffle Puck.

Le comédien rondouillard attrape Tom par la main. Le voilà sur les planches !

7

Dans la forêt, la nuit

Tom est au milieu de la scène, dans la lumière du soleil. Trois mille paires d'yeux sont braquées sur lui.

Puck déclame :

Eh bien, esprit, où allez-vous ?

Tom regarde son rouleau, il repousse ses lunettes sur son nez, il ouvre la bouche et... aucun son n'en sort.

Dans le parterre, des gens commencent à siffler.

53

Puck reprend plus fort :

Eh bien, esprit, Où t'en vas-tu ?

Tom ferme les yeux. Il sent, autour de lui, la nuit d'été. Il respire profondément, s'éclaircit la voix, rouvre les yeux et commence à lire :

Par colline et par vallon,
Traversant ronce et buisson,
Par les parcs et les enclos,
Traversant flammes et flots...

Peu à peu, le public se calme. Tom oublie qu'il est Tom. Il est dans la forêt, la nuit, et il parle à Puck.

Quand il arrive au bout de sa tirade, personne ne siffle, personne ne jette de fruits pourris.

Tom respire profondément, tandis que

Puck lui donne la réplique. Son cœur bat fort, mais ce n'est plus à cause du trac.

Lorsque son tour revient, il est prêt. Cette fois, il articule distinctement, il met le ton et tâche de se tenir avec naturel. À la fin de cette deuxième tirade, un murmure satisfait monte du public.

Tom est sorti de scène sans savoir comment. Will surgit devant lui.

– Bravo, petit ! s'exclame-t-il, les yeux brillants. Tu as été très bon !

Le garçon devient écarlate. Il rend le rouleau à Will. Il n'arrive pas à y croire : il a joué devant tous ces gens ! Et ça lui a plu.

Caché dans l'ombre des coulisses, il regarde sa sœur entrer en scène avec la reine des fées et ses suivantes.

Lorsque la reine réclame une berceuse pour l'aider à s'endormir, Léa s'avance.

Suivant le texte sur son rouleau, elle se met à chanter d'une voix claire et expressive :

Vous serpents mouchetés, à langue double,
Hérissons épineux, ne venez pas,

Elle secoue la main comme pour chasser les serpents et les hérissons.

Tritons, orvets, n'infligez aucun trouble,
De la reine des fées n'approchez pas.

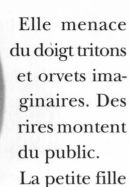

Elle menace du doigt tritons et orvets imaginaires. Des rires montent du public.

La petite fille continue sa chanson, improvisant un air joyeux, ajoutant même quelques pas de danse de son invention.

Quand elle a fini, le public l'applaudit.

– Joli travail, Léo, la félicite Will quand elle retourne en coulisses.

– Tu as été superbe ! s'écrie Tom.

– Merci ! dit Léa en rendant le rouleau à Will. Est-ce que j'ai une autre scène ?

– Non, et Tom non plus. Mais vous allez attendre la fin du spectacle, pour saluer avec toute la troupe.

Des rires montent de la salle.

Tom a très envie de regarder la pièce. Il se glisse discrètement dans un coin d'où il voit tout le plateau. Il comprend qu'il s'agit d'une histoire d'amoureux qui n'arrivent

pas à épouser celui ou celle qu'ils aiment. La partie la plus drôle concerne le roi. Le roi Obéron est follement amoureux de

Titania, la reine des fées. Alors, il verse sur ses paupières un liquide magique, qui la fera défaillir d'amour pour la première personne qu'elle verra. Mais Puck, pour s'amu-

ser, affuble un homme d'une tête d'âne, et c'est lui que la reine voit en ouvrant les yeux. C'est de lui qu'elle tombe aussitôt amoureuse !

59

Finalement, Obéron brise le sortilège. Puck rend à l'homme-âne sa forme humaine pendant son sommeil. À son réveil, celui-ci regarde autour de lui, troublé. Il dit :

J'ai eu une vision très extraordinaire. J'ai fait un rêve...

Tom murmure pour lui-même :
– J'ai eu une vision très extraordinaire...
Il aime bien ce texte !
Près de lui, un groupe d'acteurs se prépare à jouer la dernière scène.
– Mon masque de lion ! s'affole soudain l'un d'eux. Mon masque a disparu ! Je ne peux pas jouer un lion sans mon masque !
– Mais si, tu peux ! lui dit Will. Tu n'auras qu'à rugir !
Et il pousse l'acteur sur le plateau.
Puis, avisant Tom, il lui dit :

– Va chercher Léo ! Ça va bientôt être le salut final.

Léa ! Où est passée Léa ? Tom ne l'a pas vue depuis un bon moment. Il va voir dans la salle des costumes. Sa sœur n'y est pas.

Tom est inquiet, tout à coup. Pourvu que Léa...

Il dévale les escaliers, ouvre la porte de derrière. Il est rassuré en apercevant sa sœur, qui revient en courant vers le théâtre.

– Dépêche-toi ! grogne-t-il. C'est le moment de saluer. Où étais-tu passée ?

– Je t'expliquerai plus tard.

Tous deux remontent les escaliers quatre à quatre ; ils rejoignent Will et quelques acteurs qui attendent dans les coulisses. Sur la scène, Puck déclame la fin de son texte :

À tous bonne nuit de tout cœur.

Si nous sommes amis, applaudissez très fort :

Et Robin saura réparer ses torts.

Des applaudissements, des bravos, des sifflements enthousiastes montent de la salle.

Will pousse Tom et Léa devant lui, et ils se retrouvent sur la scène avec tous les acteurs. Ils saluent, une fois, deux fois, trois fois, encore et encore, tandis que les spectateurs les ovationnent.

8

Une spectatrice de marque

Will s'avance devant toute la troupe et lève les mains. Peu à peu, les gens se taisent.

– Merci à tous, dit Will, et surtout à la haute personnalité, qui nous a fait aujourd'hui l'honneur de sa présence.

Et il s'incline profondément en direction de la galerie. Une femme vêtue d'une robe blanche ornée de perles y est assise, la tête couverte d'un voile.

Elle se lève et, lentement, écarte son voile.

Son visage est blanc et ridé, elle porte une perruque rouge.

Le public pousse une exclamation de surprise, et les gens s'agenouillent, car ils ont reconnu leur souveraine.

– Longue vie à la reine Elizabeth ! lance Will.

– Longue vie à la reine Elizabeth ! répète la foule d'une seule voix.

– Longue vie à la reine Elizabeth ! crient Tom et Léa.

La reine sourit. Ses dents sont toutes noires ! Ça n'a pas l'air d'étonner les gens. Ils l'acclament encore plus fort.

La reine lève la main, et le silence se fait aussitôt.

– Je vous remercie, mes chers sujets. Et je remercie chacun de ces merveilleux acteurs. Ils nous ont offert aujourd'hui la véritable magie du théâtre : ils ont changé le jour en nuit !

– Le jour en nuit... Oh ! souffle Tom.

Un tonnerre d'applaudissements salue ces paroles. Les acteurs quittent la scène et entourent Will pour le féliciter de son succès.

Léa tire son frère à l'écart :

– Morgane avait raison, c'était magique ! On a changé le jour en nuit !

– Oui ! Et c'est grâce à Will ! Allons le remercier !

– Plus tard ! Je dois d'abord te montrer quelque chose ; il faut que tu m'aides !

Léa prend son frère par la main et le conduit à l'extérieur, tandis que le public quitte le théâtre.

C'est la fin de l'après-midi, le soleil commence à décliner.

– Par là ! dit Léa en courant vers un petit bois, derrière le bâtiment.

En approchant, Tom distingue une étrange silhouette dans l'ombre des arbres.

On dirait un homme très grand, très large, enveloppé d'une cape, une perruque rouge sur la tête. Un masque de lion lui couvre le visage.

– L'ours ! s'exclame Tom. Tu as libéré l'ours !

– Il le fallait ! Je l'ai fait sortir de sa cage et je l'ai déguisé ; les gens qu'on a croisés quand je le conduisais ici l'ont pris pour un acteur.

– Mais, Léa, tu l'as volé ! Tu n'avais pas le droit !

– Je l'ai sauvé ! rétorque Léa. Mais, maintenant, je ne sais pas quoi faire de lui.

À cet instant, le propriétaire de l'ours surgit, rouge de fureur.

– Sales petits voleurs ! hurle-t-il. Rendez-moi mon ours ! On m'en donne un bon prix !

– NON ! s'interpose Léa. C'est un ours dressé, il n'est pas fait pour se battre.

– Ma sœur a raison, intervient Tom. Et ces combats sont stupides ! Cruels et stupides !

– C'est bien mon avis ! renchérit une voix grave dans leur dos.

Les enfants se retournent. Will et Puck sont là.

9

Une douce peine

– Ttt, ttt, ttt ! fait Will en s'adressant au maître de l'ours. Ce n'est pas bien honnête, ça ! Essayer de vendre une vieille bête apprivoisée pour les combats ! J'ai justement l'intention d'écrire une pièce comprenant un rôle pour un ours[1]. Alors, prenez cet argent et déguerpissez !

Will lance une bourse à l'homme. Celui-ci ouvre de grands yeux. Puis il éclate de rire :

– Grand merci ! La bête est à vous !

Et il s'éloigne sans cesser de rire.

– Au revoir ! Et bon débarras ! s'exclame Will.

1. Cette pièce s'appelle *Le Conte d'hiver*.

Puis il se tourne vers Puck :

– Emmène notre nouvelle recrue aux écuries, et dit aux acteurs de ne pas avoir peur de lui : il est mieux élevé que la plupart d'entre eux !

Puck prend la bête par la patte :

– Tu verras, mon vieux, la vie d'acteur te plaira !

– Au revoir, Puck ! Au revoir, Dan ! murmure Léa.

Puck salue les enfants de la main. L'ours les fixe un instant. On dirait qu'il y a de la reconnaissance dans ses yeux. Puis il se laisse conduire vers le théâtre.

– Merci pour votre aide, Will, dit Léa. Merci pour Dan, et merci pour tout !

– Et merci à vous deux ! réplique Will. Vous avez sauvé la représentation ! Et ce n'était pas un jour comme les autres !

– Vous voulez dire une nuit ! le corrige Tom.

– Oh, tu as raison ! Une nuit ! Tiens, voici ton sac, tu l'as oublié là-haut !

Puis Will leur tend à chacun le rouleau avec le texte de son rôle :

– Gardez-les en souvenir ! Où allez-vous, maintenant ?

– Sur l'autre rive de la Tamise, dit Léa.

– Alors, je vous ramène dans mon bateau. Suivez-moi !

Will conduit les enfants jusqu'au fleuve par un sentier poussiéreux. Les derniers rayons du soleil passent entre les branches.

Bientôt ils arrivent devant une barque amarrée à un pieu.

– Montez ! les invite Will.

71

Quand ils sont à bord tous les trois, Will détache le cordage. Puis il empoigne les rames.

L'eau reflète les nuées roses et pourpres du ciel. Des cygnes blancs glissent le long de la rive. L'eau sent toujours aussi mauvais, mais ça ne dérange plus Tom.

Il sort du sac son carnet et son crayon.

– Qu'est-ce que tu fais ? demande Will.

– Je vais noter quelques petites choses, pour m'en souvenir.

Will hoche la tête d'un air approbateur.

– J'ai une question à vous poser, Will, dit Léa. Pourquoi la reine a-t-elle les dents noires ?

– Trop de sucreries !

– J'espère que ça ne la gêne pas trop. Je veux dire... ce n'est pas très beau !

– Oh, la reine ne se soucie pas du tout de son apparence. Cela fait presque vingt ans qu'elle ne s'est pas regardée dans un miroir ! Elle prétend être toujours jeune et belle, de même que tu as prétendu être un garçon pour monter sur les planches, et que notre ours prétendra être un acteur. « Le monde est une scène »[1], vois-tu !

Tom aime bien cette idée. Il note dans son carnet :

Le monde est une scène

Il lève les yeux vers le pont de Londres.

Les boutiques sont fermées, à présent. La foule s'éclaircit. Les inquiétants oiseaux noirs sont descendus dévorer les ordures abandonnées sur les pavés.

Le spectacle est terminé.

Lorsque la barque aborde l'autre rive, la nuit est presque tombée. Will aide les enfants à prendre pied sur le quai.

– Merci, Will, dit Léa. Maintenant, nous pouvons rentrer chez nous tout seuls.

– Quel chemin prenez-vous ?

– Si je vous le dis, vous ne me croirez pas !

74

1. Phrase extraite de la pièce *Comme il vous plaira*.

On grimpe par une échelle de corde dans une cabane magique. On ouvre un livre et...

– Et on souhaite être transportés là où on veut ! conclut Tom.

Will sourit :

– Merveilleux ! « La vie est un miracle »[1], n'est-ce pas ?

Les enfants hochent la tête. Ce Will leur plaît beaucoup.

– J'ai une idée, reprend celui-ci. Pourquoi ne resteriez-vous pas ici ? Vous pourriez jouer au Théâtre du Globe. Je demanderais à la reine une dispense pour toi, Léa, car tu as du talent.

– Vraiment ? murmure Léa.

Tom se dit que rien ne serait plus excitant ! Puis il pense à ses parents, et il secoue la tête :

– C'est impossible. Papa et maman nous attendent.

– Ils nous manqueraient, ajoute Léa.

Will sourit de nouveau :

1. Phrase extraite de la pièce *Le roi Lear*.

– Je comprends. Alors, « bonne nuit, bonne nuit ! Se séparer est une douce peine »[1]. Adieu !

Il les salue de la main et reprend les rames.

Tom et Léa marchent jusqu'à l'échelle de corde, ils grimpent dans la cabane. Arrivés en haut, ils courent à la fenêtre.

Will est déjà au milieu de la Tamise. Un cygne solitaire semble l'accompagner. Un croissant argenté monte dans le ciel et se reflète dans l'eau. Ce que Tom ressent à cet instant, c'est exactement cela : une douce peine. Il aimerait rester, juste encore un peu, dans l'Angleterre de ce temps-là. Il crie :

– Will ! Attends !

Mais Léa a déjà pris le livre sur le bois de Belleville. Elle prononce la phrase :

– Nous souhaitons revenir chez nous !

Et le vent se met à souffler, la cabane à tourner. Elle tourne plus vite, de plus en plus vite ; le vent hurle.

---

1. Phrase extraite de la pièce *Roméo et Juliette*.

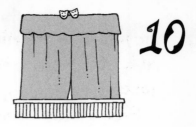

10

Qui est Will ?

Tom ouvre les yeux.

Sa sœur et lui portent leurs vêtements habituels. Une luciole voltige dans l'ombre.

Léa ramasse le papier de Morgane et elle relit la comptine.

– Nous l'avons connue, cette magie, déclare la petite fille. C'est la magie du théâtre !

– C'est vrai, dit Tom, songeur.

Il ouvre son sac à dos et en sort les deux rouleaux que Will leur a donnés. En les ouvrant, il découvre que Will a ajouté un mot sur chacun, en bas : *Merci encore pour votre aide ! Votre ami, William Shakespeare.*

– William Shakespeare ? répète Léa. J'ai déjà entendu ce nom...

– Moi aussi !

Tom sort le livre de son sac. Il cherche « Shakespeare » dans la table des matières et il lit :

William Shakespeare a vécu de 1564 à 1616. Il a écrit trente-sept pièces de théâtre, de nombreux sonnets et des poèmes. Beaucoup pensent qu'il est le plus grand écrivain de tous les temps.

– Will ? s'exclame Léa. Notre Will ? Le plus grand écrivain ?

– C'est fou ! lâche Tom, incrédule, en contemplant la signature.

– Laissons les rouleaux à côté du papier de Morgane, propose Léa. Ça lui prouvera qu'on

78

a bien découvert la magie dont elle parle.

C'est ce qu'ils font, avant de redescendre de la cabane.

Tandis qu'ils suivent le sentier du bois, un coup de vent secoue les arbres. Des oiseaux invisibles s'appellent et se répondent.

– Tu te souviens ? murmure Léa. La forêt enchantée, le roi, la reine des fées... ?

Tom hoche la tête en souriant.

– Et Puck, le joyeux vagabond de la nuit ? reprend Léa. Et Will, notre ami Will ! On a vécu des moments extraordinaires, tu ne trouves pas ?

Tom soupire :

– Oh, si !

Il prend une grande inspiration, et il déclame d'une voix pleine d'émotion :

J'ai eu une vision très extraordinaire,
J'ai fait un rêve...

À suivre

Découvre vite la suite
des aventures de Tom et Léa dans

Gare
aux gorilles !

La cabane magique

propulse
Tom et Léa

dans la forêt

tropicale africaine